La ferme

Texte de Stéphanie Ledu
Illustrations de Robert Barborini

Cocorico ! Perché sur le toit du **poulailler**, le coq chante. Il est très tôt, mais le fermier et la fermière sont déjà levés. Au travail !

Le **tracteur** est garé devant le **hangar**.

Ce matin, le fermier y accroche une **remorque** remplie de **fumier**. Cette paille salie par le pipi et la bouse de vache sent mauvais, mais elle aide les plantes à pousser.

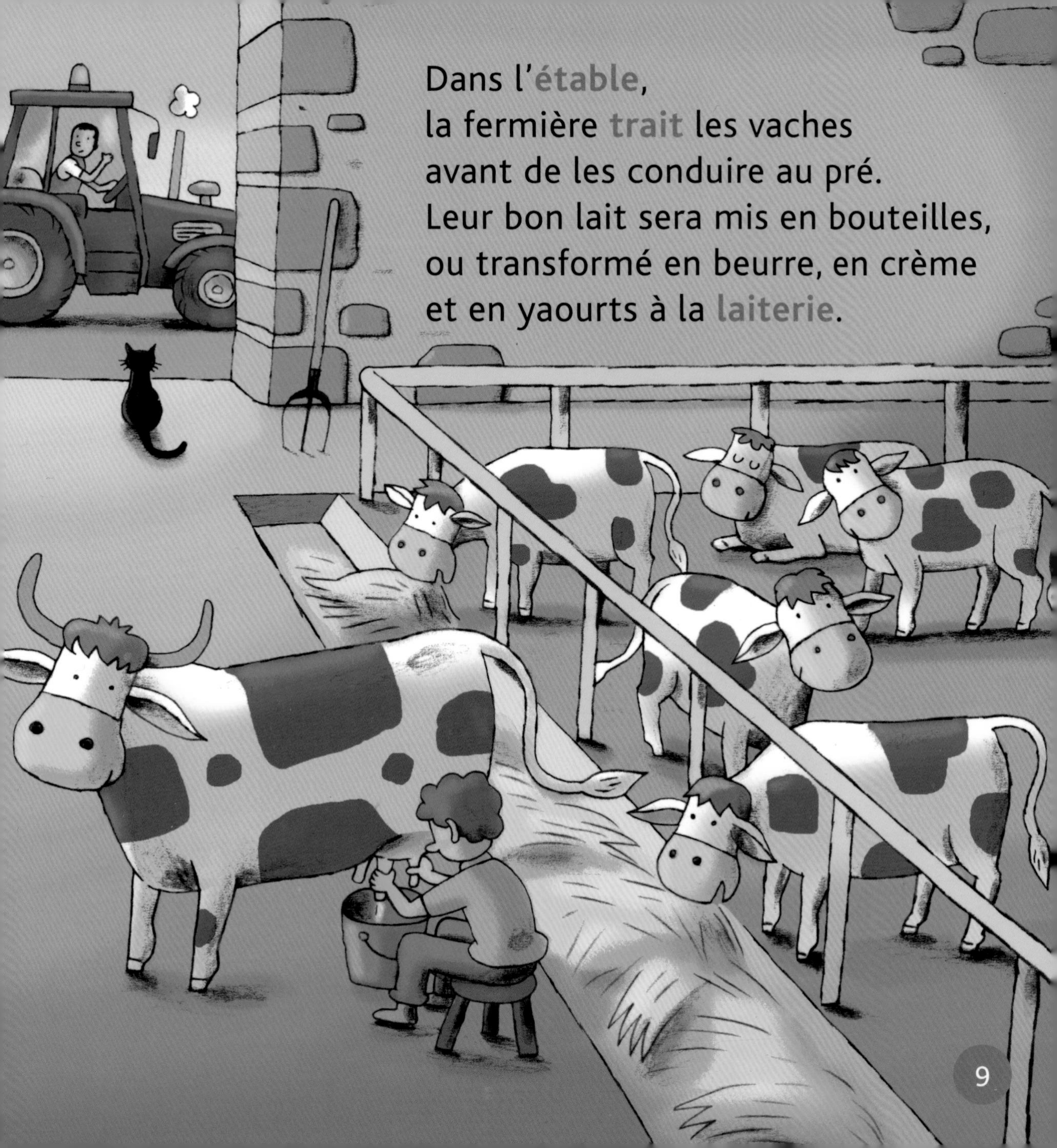

Dans l'**étable**,
la fermière **trait** les vaches
avant de les conduire au pré.
Leur bon lait sera mis en bouteilles,
ou transformé en beurre, en crème
et en yaourts à la **laiterie**.

« Petits, petits !... »

La fermière appelle les oiseaux
de la **basse-cour** en leur jetant
du **grain**. Tous se précipitent.
Ensuite, elle ramassera
les œufs des poules…
Les vois-tu ?

Le tracteur roule
doucement, pour étaler
le fumier sur le sol.

Quelques jours plus tard, le fermier **laboure** son champ. Des oiseaux viennent s'y poser : ils picorent les vers qui sont apparus dans la terre retournée.

Enfin, le fermier revient avec cette drôle de machine, pour **semer des grains de maïs**.

Dans le champ
d'à côté, du **blé** pousse.
Il est encore vert.

En été, le blé sera jaune :
on le récoltera avec
la **moissonneuse**.

Oh, les belles **bottes de paille** !
Ce sont les **tiges du blé** qui sont ficelées.
Les grains, eux, seront transformés en farine,
pour faire du pain ou des pâtes.

Cette nuit, 6 cochonnets
tout roses sont nés dans
la porcherie. Ils se rouleront
bientôt dans la boue, comme les grands.
C'est comme ça que les cochons se lavent !

Voici le **potager** : le fermier et la fermière y cultivent toutes sortes de légumes. Le printemps est la saison des **carottes**, des **asperges**, des **fraises**... Elles sont prêtes à être cueillies !

Au **verger** poussent les arbres fruitiers.
Les fleurs blanches des **pommiers**
deviendront de beaux fruits.
Les **cerises**, elles, sont presque mûres.

L'épouvantail fait peur aux oiseaux qui voudraient les picorer.

Chaque semaine, la fermière va au **marché** : elle y vend des **légumes**, des **fruits**, des **œufs** et des volailles... Elle connaît bien ses clients et aime bavarder un moment avec eux.

CAROTTES
1,10
EPINARDS
2€
SALADE
1,20€
ASPERGES
6€
HARICOTS
2,5€
CERISES
3,5€
POMMES DE
TERRE
0,60€
AUBERGINES

Entre fermiers, on se rend service. Aujourd'hui, tous les voisins sont réunis pour **tondre** les **moutons**. La laine servira à tricoter des pulls bien chauds.

Mais qui sont ces grands
oiseaux ? Des **autruches**,
qu’on élève pour
leur viande !

Quand la nuit tombe, d’autres animaux pointent le bout de leur nez.

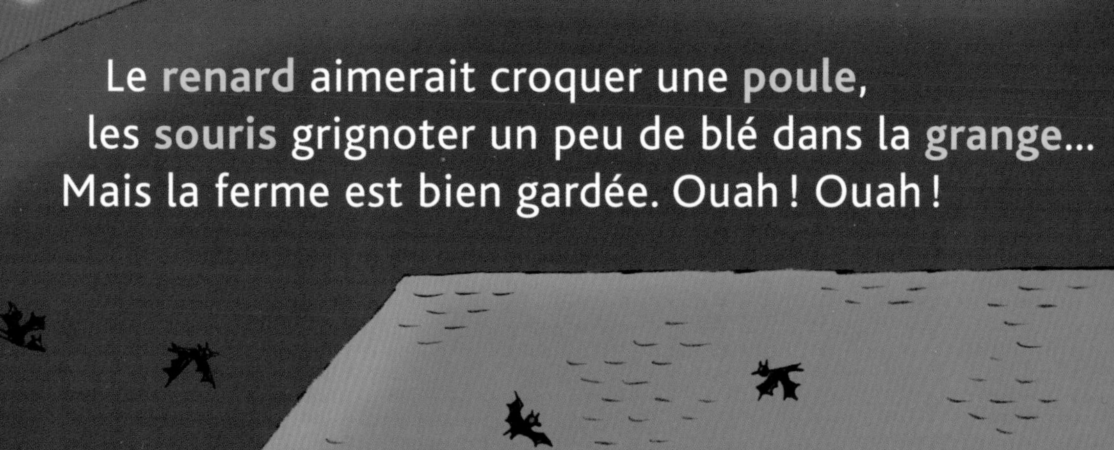

Le **renard** aimerait croquer une **poule**,
les **souris** grignoter un peu de blé dans la **grange**…
Mais la ferme est bien gardée. Ouah ! Ouah !

Découvre tous les titres
de la collection
Mes P'tits DOCS

Les châteaux forts
Le chocolat
Le cinéma
Le cirque
Les dinosaures
L'école maternelle
L'espace
La ferme

À table !
Au bureau
Chez le docteur
Les bateaux
Le bébé
Le bricolage
Les camions
Le chantier